AF277207

Tercer milenio

ÁLVARO SALVADOR

Tercer milenio

❦

Ediciones Trea

TREA AFORISMO

Primera edición: febrero de 2025

© Álvaro Salvador, 2025

© Motivo de cubierta: *Universo en expansión,* de José Manuel Darro

© de esta edición:
Ediciones Trea, S.L.
María González la Pondala, 98, nave D
33393 Somonte-Cenero. Gijón (Asturias)
Tel.: 985.303.801. Fax: 985.303.712
trea@trea.es | www.trea.es

Dirección editorial: Álvaro Díaz Huici
Producción: Patricia Laxague Jordán
Dibujo de colofón: Javier del Río

Depósito legal: AS 00051-2025
ISBN: 978-84-10263-93-2

Impreso en España — *Printed in Spain*

Aforemus

Erika Martínez

Siempre me ha parecido que Álvaro Salvador era un maestro del tono. Que su inflexión de la voz le confiere una fuerza y una personalidad irrefutables entre los miembros de su generación. En los versos de Salvador el tono oscila, discute consigo mismo, hace requiebros, cercando al monólogo dramático hasta ponerlo en crisis. Esa dialéctica es probablemente la primera de las puertas que comunican la poesía de Salvador con su obra aforística. Porque todo aforismo discrepa o polemiza con los lugares comunes, las expectativas de quien lee y, si hace falta, hasta consigo mismo. Más específico es su brillante manejo del pensamiento paradójico: «Los mejores discípulos, son los que no se parecen a su maestro». Ese mismo baile de tonos, esa peculiar disputa íntima forman parte, sin duda, de poemarios como *Canción del outsider*, publicado no casualmente entre dos libros de aforismos, *Después de la poesía* y *La vida no te espera*. Su escritura contiene a menudo una poética y su contrapoética, obligando a quien lee a reubicarse sin descanso.

La introspección sentimental, el apunte metapoético, la observación filosófica o la epifanía lírica conviven en la obra de Salvador con la sátira («Lo importante en un matrimonio son los testigos»), con el más implacable de los sarcasmos («Hay personas estúpidas hasta para el dolor») o incluso con el nihilismo («Cada día los seres humanos nos parecen menos semejantes»). Escribir aforismos parece un hito lógico para un autor tan atravesado por la tradición del poema meditativo, para un autor que no ha dejado de conferir nuevas proyecciones a la moral machadiana. ¿Cómo alguien tan preocupado por el *ethos* civil no iba a terminar cultivando en la tierra de la máxima moral, dialogando con el aliento cáustico de Rivarol, el epicureísmo de Joubert o con La Rochefoucauld, cuyas palabras se negaban a ser —como dijo Paul Morand— más grandes que las cosas?

José Bergamín contrapuso, en un aforismo, las que podrían considerarse como dos vertientes del género: «Pascal: la inteligencia de la pasión. Nietzsche: la pasión de la inteligencia». Salvador parece apostar por una vertiente más moral que lírica, en la que acaso podríamos incluir también a Carlos Marzal. Así lo definía Salvador en otro sitio: «Un aforismo es una frase, generalmente corta, en la que se expresa una opinión o una reflexión sobre un tema determinado, generalmente con un carácter moral, crítico o irónico».

A través de esta moral, *Tercer milenio* puede leerse como un asedio al asedio del tiempo: «La única medicina contra el tiempo es el presente». Sus aforismos picotean como sagaces pajarillos en todas las variantes de su paso, en las perspectivas y humores posibles para hacerle frente. Pero no es esta una inquietud nueva en la obra de Salvador: el tiempo ya era un eje central en *La condición del personaje* y un libro como *Ahora, todavía* transformó su teoría crítica en un diálogo del poema con la muerte. No es una inquietud nueva, pero adquiere sin duda un mayor voltaje. «Esa puesta de sol que está emocionándote ahora, ocurrió hace tiempo», anota, aliviando con un hallazgo el carácter pretérito de demasiadas vivencias: la escritura es emoción a posteriori. En el extremo opuesto estaría la religión que, según esta glosa a Miguel D'Ors, es «lo que se siente antes de haber sentido».

Los pensamientos de Joubert, hombre convencido de que la enfermedad afinaba el alma, son una prueba de que la inteligencia es capaz de hacer humor con el sufrimiento. Siguiendo esa estela, Salvador no deja de responder a los estragos vitales con una sonrisa. Coqueteando con la greguería ramoniana, una puede toparse también con afirmaciones de un humorismo encantador como: «¡Donde menos se espera salta la poesía!». O mordaz: «En España no hay racismo, sólo hay racistas». También queda, por supuesto, mucho espacio para una meditación más grave.

Dividido en tres secciones (una por milenio), este libro va pasando de la máxima erótica y existencial a la reflexión metapoética para cerrar adentrándose en los estragos del tiempo sin que se pierda nunca la mordiente política. Mientras van cayendo uno sobre otro, estos aforismos dibujan un territorio de precariedad, un ámbito en permanente peligro de derrumbe, un espacio en el que la estabilidad y la solidez del pensamiento siempre están a punto de irse al traste. Como dijera Lorenzo Oliván, no es sorprendente que Cioran retratara al escritor de aforismos como a un hombre que experimenta el miedo en el centro del lenguaje.

Ese miedo en el centro del tiempo y del lenguaje está inevitablemente inserto en la propia naturaleza del aforismo y su carácter gnoseológico. En una entrevista respondía Salvador: «A partir de los 40 uno ya deja de ser inmortal y, por lo tanto, tiene experiencia suficiente [para escribir aforismos]». En *Después de la poesía* podía leerse: «No creo que se puedan escribir aforismos sin tener cierta edad o cierta mala leche». Lejos de identificar mecánica y maniqueamente la acción con la juventud y la contemplación reflexiva con la edad, Salvador afirmaba: «Veo que mi edad avanza y que la vida no espera a que tú decidas el momento en el que actuar. Siento que es el momento en el que debo hacer cosas». Como decía Luis Antonio de Villena, Salvador parece decirnos que, cuando uno no está seguro de la poesía o cree que esta atraviesa alguna crisis, se da al aforismo. El aforismo es en su obra lo que segrega un intersticio, una grieta, lo que sobra, una excrecencia. En una entrevista de hace unos años confesaba: «Tuve un cierto pánico porque no podía escribir poemas y, de repente, los aforismos comenzaron a surgir solos. No sé, fueron como una especie de válvula de escape». Y en un aforismo de *La vida no te espera*: «Los escritos que uno publica son como los excrementos: algo sobrante, algo desagradable, algo que no podemos soportar en nuestro interior».

Pero un libro de aforismos de Álvaro Salvador no es solo un fabuloso compendio de sus propios excedentes, sino también de los del prójimo. Porque a su dialéctica tonal se suma también un cruce constante de voces y textos, de diálogos de películas, citas de otros escritores, papeles arrugados en el bolsillo o pintadas anónimas que se entrelazan sin jerarquías y que han sido recolectados por Salvador como recolectaban comida, cachivaches y amigos los personajes de *Los espigadores y la espigadora*, de Agnès Varda. «Es interesante estar sumergido en una creación de este tipo —afirmaba Salvador— porque los aforismos están ahí en el mundo que nos rodea, esperando que sepamos verlos y recogerlos». *Tercer milenio* hace del excedente una poética. Como ese maravilloso personaje de Varda que vive de la comida abandonada en los mercados y da clases nocturnas, sólo que los espacios callejeros donde ha ido recolectando Álvaro Salvador sus aforismos son un mercado muy suyo, desplegado en la ciudad del interior.

Frente a esa palabra con la que un sacerdote invita a rezar a los fieles en la misa (*Oremus*), Salvador propone a sus lectores una reflexión moral y crítica cuya práctica está en la base de la comunidad civil. Con ella nos invoca, *Aforemus*, para empezar a ensayar con humor y valentía otros modos más lúcidos de atravesar este presente del siglo XXI.

I

La mejor manera de acabar con nuestro Narciso es cumplir años.

*

La única medicina contra el tiempo es el presente.

*

La vida se define frente al miedo.

*

Los padres de los demás suelen tener razón.

*

Como dice José Javier Villarreal: «Los baños suelen ser un lugar peligroso».

*

Lo que se habla de fútbol tiene poco que ver con el balompié.

*

Lo peor de la ideología es que está muy dentro de cada uno.

*

En el amor no hacen falta contraseñas.

*

El sueño es como la muerte: siempre vence, aunque llegue tarde.

*

Luchar contra la religión es, desgraciadamente, luchar contra la condición humana.

*

Algunas regiones basan su singularidad en la posesión de un idioma distinto al español. Sin embargo, la mayoría de los que tienen como profesión hablar la lengua española se han educado en esas regiones.

*

El divorcio no tiene mucho sentido, porque todos los matrimonios se parecen demasiado.

*

Terrorismo es también acumular dinero mientras la mayoría de la gente se muere de hambre, de falta de atención médica, de falta de vivienda, de falta de educación, de falta de dignidad.

*

Las oportunidades, casi siempre, se aprovechan tarde.

*

Cada cual tiene amigos, más o menos delincuentes, porque todo el mundo tiene trapos sucios que lavar.

*

Existe el robo perfecto, los que no existen son los ladrones perfectos.

*

Oído en *De aquí a la eternidad*: «Nadie miente cuando habla de su soledad».

*

Lo importante en un matrimonio son los testigos.

*

«Ningún hombre es tan malo como dicen». Oído en *Chuka* de Gordon Douglas.

*

Cuando un amante dice «no lo sé», es que lo sabe demasiado bien.

*

Algunos hechos sórdidos aparecen en la vida de los seres humanos como espectáculos o tragedias insólitas, pero la mayoría de ellos nos acompañan discretamente, cada día, en cada pequeño detalle, en cada humilde movimiento, en cada traición, en cada fracaso.

*

La Naturaleza es malvada porque en la Naturaleza hay seres humanos.

*

La memoria de los cuerpos también se pierde.

*

El peor modo de hipocresía es el que quiere ocultar en la generosidad y en la prudencia las mayores injusticias.

*

El Amor y la Amistad tienen también sus límites. El problema es que son muy imprecisos.

*

¿Quién os pide hoy que seáis generosos y prudentes? Los que ayer os arrastraron a batallas absurdas, a insolencias inútiles.

*

No preguntes a tu amante, a tu hijo, a tu mejor amigo. Pueden ponerte un precio.

*

La sospecha es la mala conciencia de la justicia.

*

La democracia siempre estuvo delante de la dictadura. La dictadura siempre está detrás de la democracia.

*

La peor traición no es la que sorprende, sino la que esperas.

*

Lo bueno del fracaso es que obliga a empezar de nuevo.

*

El futuro que nos espera: un tonto dirigiendo el mundo desde un teléfono móvil.

*

Hay personas estúpidas hasta para el dolor.

*

El problema de la Ilustración es que condujo en primer lugar a la guillotina y en segundo lugar al Holocausto.

*

El descrédito de la democracia engendra monstruos.

*

El deseo promete siempre novedades donde no las hay.

*

Los niños pobres aprenden con mucha facilidad las restas y las divisiones; los ricos, sin embargo, la suma y la multiplicación.

*

El deseo es previsible, el amor no.

*

Esa puesta de sol que está emocionándote ahora, ocurrió hace tiempo.

*

El destino no es más que una sucesión de acontecimientos azarosos.

*

A muchos hombres les obsesiona la longitud, a algunas mujeres, en cambio, les preocupa la anchura.

*

La ambigüedad sólo es útil en el sexo.

*

La frontera entre la ignorancia y el conocimiento es casi imperceptible.

*

Cuando el amor duele es que quizá se esté curando.

*

Hay personas cuya amistad es más peligrosa que su odio.

*

Saúl Berenson en *Homeland:* «Los secretos son tiranos».

*

Cumplir años: ver cómo se falsifica la Historia.

*

Los mejores discípulos son los que no se parecen a su maestro.

*

El erotismo es una redundancia.

*

Hoy en día, la norma es la ignorancia.

*

Más del cincuenta por ciento de los hombres son minus-
válidos en un sentido estricto: no saben coser, no saben
limpiar, no saben lavar la ropa, no saben cocinar, no saben
hacer una cama, no saben comprar, no saben qué ropa
ponerse…

*

A menudo la vanidad se maquilla con distintas capas de
falsa modestia.

*

Escrito en un escalón de la calle: «Lo que me queda está
por venir».

*

Nos asegurarán que no somos ovejas mientras nos com-
portemos como tales.

*

«Nadie acaba como empieza», el capataz a Don Murray
en *Duelo en el barro* de Richard Fleischer.

*

La convicción de que la vida tiene una finalidad trascendente ha hecho que el mundo gire. Pero que gire con ruedas dentadas que han aplastado y aplastan a los que no comparten esa convicción.

*

La soberbia apoyada en la ignorancia es la bandera del cretino.

*

La civilización actual es tan estúpida que hasta los asesinos matan con el teléfono móvil puesto.

*

El nivel de riqueza de nuestro país es inversamente proporcional al nivel de educación.

*

«No puedes montar en dos caballos con un único culo». El padre de la protagonista en la película *Swing Home Alabama*.

*

El joven busca el reto de la muerte, el anciano el reto de la vida. Así somos: insatisfechos y cobardes.

*

La máscara es el símbolo de la angustia.

*

Como diría Walter Benjamin: «No me hago la menor ilusión sobre mi época, pero tomo partido a su favor».

*

El mundo no va a ser mejor ni peor después de la pandemia, pero sí que será mucho más contagioso.

*

¿De qué sirve esta Civilización si aparece un bichito y nos hace volver a la Edad Media?

*

Todo el mundo se indignó con la destrucción de las estatuas asirias que perpetraron los islamistas. Nadie pareció acordarse de Moisés y el becerro de oro, de los iconoclastas protestantes, de los comunistas revolucionarios o de los ecologistas actuales.

*

Las cosas de la vida que merecen la pena son siempre iguales y siempre diferentes.

*

Constantemente hay arcos que cubrir.

*

Muchas personas no encajan bien la vida. Y otras no encajan nada en la vida.

*

Las escobillas nos enseñan que cada uno debe limpiar su mierda.

*

Las puertas de las cárceles hacen el mismo ruido que las de las sacristías.

*

La máscara era el símbolo de la angustia, la mascarilla es el de la supervivencia.

*

«Siempre hay una sala más Vip que la anterior». Luis Tosar en *Los favoritos de Midas*.

*

Si el rosa es el color simbólico de lo femenino, ¿por qué muchos machitos se ponen constantemente ropa rosa?

*

Es verdad que no todos los políticos son iguales. Pero sí que son muy parecidos.

*

El problema con algunos gatos es que desaparecen.

*

No sé si por cultura o por historia, pero el español medio tiende más a la acracia que a la democracia.

*

El andrógino es la carne de todos y la tierra de nadie.

*

Todo por la patria, pero sin la Patria.

*

Antes de que digas lo negativo que hay dentro de alguien, piensa en todo lo que tú sabes que hay de negativo en ti.

*

El placer y el dolor tienen la misma música.

*

Lo que un idioma te señala como el primero, como el mejor, como el «as», otro idioma te señala el lugar más infame y desprestigiado del cuerpo humano.

*

¡Desgraciado de aquél —o aquella— que no tiene enemigos!

*

Hay matrimonios que no han ido más allá del erotismo.

*

La vida se padece o se goza, pero definitivamente no tiene ningún sentido.

II

La poesía es un don que se reparte sin hacer distinciones.
Y a veces recae sobre personas que no están a su altura.

*

¿Cuánto hay que esperar para llamar de nuevo?

*

Más allá de la fama sólo está el fracaso.

*

Medir la creación artística con criterios éticos o religiosos
es inútil, tanto para el arte como para los principios éticos
o religiosos.

*

¿No será la Cultura una de las coartadas para justificar la
explotación, la desigualdad, la tiranía?

*

¡Cómo estará la izquierda, cuando tienen que venir los poetas a salvarla!

*

La poesía es el detergente de la vida.

*

Es más fuerte la promesa de la fama que la constancia de la lealtad.

*

Un pintor moderno latinoamericano escribe «solla» en un cuadro, más o menos hermoso, muy parecido a los cuadros de Tápies. Y todos los papanatas multimillonarios analfabetos caen ante él como fulminados por un rayo.

*

Glosa a Miguel D'Ors: «Fe: lo que se siente antes de haber sentido».

*

Hay ciudades piadosas y ciudades crueles.

*

Aquella mujer tenía algo de niña indefensa y, sin embargo, había también algo en ella capaz de destruir para siempre la vida de quien intentara enamorarla.

*

Lo que Darío no supo: el rey Burgués era también poeta.

*

Tierra de nadie: la Poesía.

*

¡Cómo enmascara el simulacro de la poesía, el simulacro del arte, la verdadera condición humana!

*

Para ser poeta no basta con escribir versos. Incluso con escribir buenos versos.

*

Una rosa es una rosa, es una rosa, es una rosa… hasta que se pudre y se convierte en una piltrafa.

*

La inspiración y el plagio son de la misma familia.

*

El silencio no desautoriza las palabras.

*

Ciertos poetas sólo aspiran al silencio. Sin embargo no se callan. Incluso se acompañan con instrumentos musicales.

*

Glosando a Dylan Thomas: ando solo entre una multitud de desamores.

*

El mejor autor es el que mejor construye los personajes secundarios.

*

Donde menos se espera, salta la poesía.

*

Hay algo peor que ser viejo poeta cascarrabias: ser viejo poeta patético que se empeña en parecer joven poeta.

*

Escribir cada poema como si fuese una canción, recitar los poemas intentando que suenen como suena una canción.

*

A cierta edad uno no tiene confianza en lo que escribe, pero tampoco en lo que lee.

*

En el momento en el que estamos muy contentos de habernos conocido, muy contentos de leernos a nosotros mismos, en ese mismo momento estamos perdidos.

*

La «profesora» era tan ignorante que no sabía que la peor crítica para un poeta es, paradójicamente, el silencio.

*

Cría fama y recoge enemigos.

*

Lo positivo de tener una lengua materna minoritaria es que te obliga a aprender varias lenguas mayoritarias.

*

Julia Roberts en *Notthing Hill*: «La felicidad no se comprende sin una cabra tocando el violín».

*

La felicidad era una llanura interminable.

*

El desfile de la muerte nos recuerda las heridas del saber.

*

Escrito en un papel encontrado en un bolsillo: «Un extraño se embosca en el espejo. Sangre de tu sangre».

*

La belleza, a veces, allana los caminos.

*

¡Qué buen poeta si hubiese buen editor!

III

Como dice Pepa Merlo, la idea espiritual de un dios crea-dor y bondadoso no casa con un mundo en el que los seres vivos, para sobrevivir, tienen que devorarse los unos a los otros.

*

Los viejos dormimos menos porque tenemos menos vida que perder.

*

No te fíes de quien va peinado con la misma raya que le peinaba su madre.

*

En España no hay racismo, sólo hay racistas.

*

Cuando yo era joven y una persona mayor miraba a mi pareja con insistencia, me inquietaba. Ahora soy mayor y me gusta mirar a las jóvenes parejas y notar cómo los muchachos se inquietan.

*

Hay días como perros solitarios.

*

Al envejecer, el miedo a las cosas de este mundo desaparece o se atenúa. Sin embargo, el miedo a las cosas del «otro mundo» aumenta.

*

El síndrome del viejo es paradójicamente un síndrome de rapidez. Se intenta hacer todo con velocidad por miedo a no poder hacer nada.

*

De la película *Her*: «El pasado siempre es una historia que nos contamos a nosotros mismos».

*

Con cierta edad no es necesario arriesgarse: en la bañera suele haber cocodrilos.

*

Al cabo de los años, cada uno tiene su versión de lo ocurrido.

*

Lo peor de los hermanos es que se parecen demasiado a nosotros mismos.

*

Aforemus.

*

La vejez es igual que el deporte de élite: hay que aprender a convivir con el dolor.

*

Con el alma hay que tener cuidado, porque engaña.

*

Un sexo peludo impone autoridad.

*

Propósitos para el Año Nuevo: «¡Vida. mucha vida, aunque sea de la antigua!».

*

El protagonista de *Territorio Apache*: «Siempre hay una colina por descubrir».

*

Soy tan estúpido que moriré sin una creencia, sin un consuelo.

*

Cuando queda poca vida por delante, todo lo que llega viene bien.

*

«0000 - FTM»: Juro por los dioses que vi en la carretera el automóvil de El Duende que Camina.

*

¿Por qué tanta controversia con los neandertales? ¿No será que queremos ocultar el primer genocidio de la Historia?

*

Ed Harris en *El jinete púrpura*: «Cuánto más vivo, más rara me parece la vida».

*

Prueba definitiva de la decadencia de Occidente; la revista *Playboy* tapa los encantos a las chicas. (Al cabo de un tiempo vuelve a destaparlos.)

*

Más que con los brazos, me gusta que me reciban con las piernas abiertas.

*

Nueva letanía a Nuestro Señor Don Quijote:
«De los sinvergüenzas
que presumen de ser buena gente…
¡Líbranos Señor!»

*

Posibles respuestas ante una mirada de deseo:
Quienes la perciben y se molestan.
Quienes la perciben indiferentes.
Quienes la perciben y se desconciertan.
Quienes la perciben y responden positivamente.
(La mayoría, la mitad, menos de la mitad y la inmensa y gloriosa minoría.)

*

No seas nunca hombre —o mujer— de partido y la historia te dará la razón.

*

Es muy deprimente oír discursos feministas en mujeres casadas con tremendos machistas. El panfleto en la calle y la pata quebrada en la casa.

*

Oído a Samuel L. Jackson en *Golpe en Hawai*: «Dios es el amigo imaginario de la gente adulta».

*

A veces, la vida nos obliga a ser responsables con nosotros mismos y, en esos casos, a menudo la vida nos obliga también a ser fuertes y duros con los demás.

*

«Un hombre rico es exactamente igual que una mujer bonita», la chica en *Arizona, prisión principal.*

*

El nivel de civilización de un país se mide por la limpieza de sus urinarios públicos.

*

A medida que envejecemos nos parecemos más a los animales: estiro el cuello como una tortuga para no parecer un pavo o una rana.

*

No es el mismo pueblo el de Agamenón que el de su porquero, o su capataz, o su barragana. Hay «más» pueblo y «menos» pueblo.

*

¡Lucha por tus sueños! Para ver a continuación cómo los pisotean, cómo los derrotan, cómo finalmente despiertas.

*

¡Ay, qué ingenuo es el ingenio!

*

Lo peor de la vejez son los muertos. ¡Tantos muertos!

*

La princesa Samsa en *Juego de tronos*: «Los peores siempre sobreviven».

*

Si nuestros políticos son mediocres es porque la democracia también lo es.

*

El ser humano tiene una pulsión de muerte natural, ancestral, porque el único argumento de la vida es la reproducción. Los jóvenes tienen esa pulsión por el miedo a no poder cumplir su misión o no cumplirla bien, y los mayores porque ya lo lograron o bien porque fracasaron.

*

«Soy un accidente a punto de ocurrir». Michael Douglas en *El método Nemonsky*.

*

El error del amor es que te pide vivir siempre con quien te apasiona. Y con quien te apasiona no siempre se puede convivir.

*

Todo el mundo tiene un precio, pero el de los pobres es más barato.

*

Griegos y romanos clásicos son los modelos de Occidente. Pero Occidente se olvida de los esclavos y se conmueve con sus descendientes: los esclavos en los campos de concentración nazis.

*

¡Qué duro es comprender que todo lo que se podía hacer, ya se hizo! O no.

*

No hay lugar más triste que un parque infantil entre el cemento.

*

Lo que imaginas es producto de lo que conoces, y lo que conoces se parece mucho a lo desconocido.

*

Hay que recuperar con el recuerdo la felicidad del pasado cuando nos quedan ya pocas expectativas para el futuro.

*

Hojear prensa atrasada es desalentador: todo el mundo desaparece antes de haber muerto.

*

No lo dude, usted tiene algo que se llama intermitente.

*

La belleza y la tristeza, aunque parezca lo contrario, a menudo andan de la mano.

*

«La verdad me pasó de largo hace tiempo». James Mason en *The man between*.

*

La peor consecuencia de la pandemia no va a ser solamente el número de muertes o la ruina posterior, también la sacralización definitiva de la tecnología.

*

«No hay nada más pornográfico que la felicidad». Darin en *El amor menos pensado*.

*

Rectifico un aforismo anterior: no hay nada más triste que un parque infantil vacío, días tras día.

*

A los 70, lo único que queda por conservar o perder, es la vida.

*

«Hay un momento en la vida en que un hombre deja de ser varias cosas para ser sólo una». Gary Cooper en *Llegaron a Cordura*.

*

Glosa de Pío Baroja: todos pronuncian muy bien el inglés, pero siguen igual de tontos.

*

«Enfermo ha sido un término relativo para mí. Ahora lo considero el trazado final y su proceso». James Gardner en *El diario de Noah*.

*

Para tener amigos hay que ser valiente.

*

Si nos pasamos el tiempo imaginando fantasías para soportar la vida, ¿por qué no vamos a fantasear también para soportar la muerte?

*

Somos melancólicos los que a los veinte años fuimos felices. O no.

*

Lo mejor de haber cumplido unos años es que ya no nos amenaza ninguna precocidad.

*

Erramos el camino con todos nuestros aciertos.

*

La vejez es como la guerra: todos siempre adelante a pesar de las heridas y los quebrantos.

*

Lo que informan los medios de comunicación es solo la fachada de lo que ocurre. Hay que subir a las azoteas y bajar a los sótanos para conocer la verdad.

*

Las actualizaciones atrasan.

*

Nadie es igual a sí mismo de un día a otro.

*

«Un hombre capaz de perdonar es más que un hombre».
Bárbara Stanwick en *Las tres noches de Eva*.

*

Con la vejez regresa el platonismo.

*

Antes de que te vayas tú, se va tu mundo.

*

Creí que el horror estaba fuera, pero en realidad estaba
dentro, muy dentro.

*

Cada día los seres humanos nos parecen menos semejantes

*

Aquel hombre no despertó nunca de la pesadilla.

*

No quiero glorias póstumas para méritos vivos. Si no hay
valor, justicia o reconocimiento para un trabajo en vida,
no lo quiero en la hora de mi muerte.

Índice

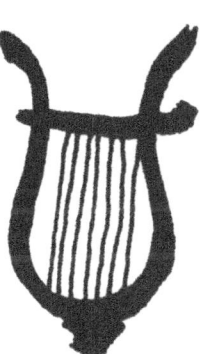